댓글로 MBTI랑 반응 알려줘

발 행 | 2024년 1월 22일
저 자 | 페인티안
펴낸이 | 한건희
펴낸곳 | 주식회사 부크크
출판사등록 | 2014.07.15.(제2014-16호)
주 소 | 서울특별시 금천구 가산디지털1로 119 SK트윈타워 A동 305호
전 화 | 1670-8316
이메일 | info@bookk.co.kr
ISBN | 979-11-410-6809-7
www.bookk.co.kr

댓글로 MBTI랑
반응 알려줘

목차

MBTI란

에너지의 방향 차이

Extroversion

Introversion

· 넓은 대인관계 유지

· 사교적이며 활동적

· 깊이 있는 대인관계 선호

· 조용하며 신중함

인식 차이

Intuition

N

· 직관, 영감,

상상가능성을 인식

Sensing

S

· 사건, 사실,

경험을 위주로 판단

판단 근거 차이

Feeling

· 개인적인 상황과

가치관 고려

· 결과보다 과정을

중요하게 생각

Thinking

· 논리적인 근거와 이유에

따라 행동

· 목표 지향성이 강한 성격

생활 양식 차이

Perceiving

· 계획을 유연하게
바꾸는 것을 선호
· 자율적인 행동과
환경을 선호

Judging

· 일에 앞서 구체적인 목표계획을
먼저 세우는 유형
· 정해진 일에 맞춰 행동하는 것에
편안함을 느낌

MBTI 논쟁
사례 (실화임)

얘들아 내가 만약 너네랑 잡았던 약속을 하루 전에 취소하면 너넨 어떨 것 같아?

오전 2:54

김서인 (INTP)

응? 어쩔 수 없지

오전 2:54

김지유 (ISFP)

담에 놀아야지 쩝 아쉽다

오전 2:55

솔직하게 속마음까지 말해줘

오전 2:55

김지유 (ISFP)

(나가기 귀찮았는데 아싸 ㅎㅎ)

오전 2:55

이주연 (INFP)

나도 살짝 귀찮긴 했는데 그래도 아쉽다!

오전 2:55

안수빈 (INTP)

ㄱㅊ아 난 집에서 겜하면 됨

오전 2:56

이해인 (ISTP)

오좋 난 그럼 자야지

오전 2:56

윤수인 (INTJ)

ㅋㅋㅋ 난 다음날 좀 외로워질 것 같긴
한데 그래도 집순이라 ㅎㅎ
고양이들이랑 놀 거야

오전 2:58

오상은 (ENFJ)

왜 다들 좋아하는 거지..? 한껏
기대했는데 전날 취소라니 좀 너무하다
I들 정말..

오전 2:58

이우진 (INFJ)

난 별생각 없엉

오전 2:59

이해인 (ISTP)

졸려 2

오전 3:03

김서인 (INTP)

상은아 미안 ㅋ 2

오전 3:04

오상은 (ENFJ)

다들 좀비가 존재한다고 생각해 본 적 있어?

오전 3:33

오.. 아니..?

오전 3:33

김지유 (ISFP)

와 진짜 절대 ㄴㄴ 한번도 안해봄

오전 3:33

김서인 (INTP)

있긴 할 듯?

오전 3:33

김서인 (INTP)

좀비 영화를 많이봐서 ㅋㅋㅋ 믿는 듯

오전 3:34

이해인 (ISTP)

난 좀비영화 봐도 이입 못하겠던데.. 안 믿어서

오전 3:34

이주연 (INFP)

으엉 좀비 짱무셔!!

오전 3:34

이주연 (INFP)

부산행 못봤어 다들? 난 그거보고 어떻게 대처할지 다 생각해놨는데 ㅋㅋㅋ

이주연 (INFP)

부산행 못봤어 다들? 난 그거보고
어떻게 대처할지 다 생각해놨는데
ㅋㅋㅋ

오전 3:35

이우진 (INFJ)

나도나도!

오전 3:35

윤수인 (INTJ)

좀비.. 만약에 자고일어났는데
우리아빠가 좀비면 어캄

오전 3:35

안수빈 (INTP)

오 ㅁㅊ 그럴 수도

오전 3:35

김지유 (ISFP)

대체 이런 상상을 왜..?

오전 3:35

김지유 (ISFP)

얘들아.. 나 우울해서 화분샀어

오전 2:35

윤수인 (INTJ)

어쩔

어쩔티비

오전 2:35

김지유 (ISFP)

...

오전 2:35

김서인 (INTP)

그래? 뭔 화분?

오전 2:36

이해인 (ISTP)

지유야 너 식물 키웠었냐

오전 2:36

오상은 (ENFJ)

모야.. 지유 왜 우울해...

오전 2:36

김지유 (ISFP)

ㅠㅠ 잉 상은아

김지유 (ISFP)

ㅠㅠ 잉 상은아

오전 2:37

이주연 (INFP)

지유야 무슨 일 있어? ㅠㅠㅠ

오전 2:37

안수빈 (INTP)

아 빵먹고싶다

오전 2:37

이우진 (INFJ)

내 여자.. 누가 괴롭혔냐... 지유야
우울해하지말고 힘들면 다 말해
알았지?!

오전 2:38

김지유 (ISFP)

역시 F야.. 넌 따뜻해

오전 2:39

김지유 (ISFP)

다들 고마워 ㅠㅠ

오전 2:40

이우진 (INFJ)

오전 10시 서울역 모임
12시 기차니까
11시까지 점심 먹고 (서울역에
비빔밥이 맛있대! 그거 먹으면 될 듯)
11시반에 기차 입장 시작하고
2시에 강릉역 도착해서
1005번 버스타고 우리 숙소로
도착해서 짐 놓고 (역에서 숙소까지
30분 정도 걸림)
3시에 바다 보러 나갔다가
4시반엔 내가 알아놓은 맛집 가고..
링크 보내줌
그리고 식후 카페는 무조건 가야지!
강릉에 '곳' 이라는 카페가 내가 전에
가봤는데 오션뷰라 진짜 좋아!
루프탑에다가! 그리고···

·
·
·
·

오전 3:13

 이우진 (INFJ)

https://naver.me/Fop3zx1j

딩딩이 동해막국수 강문본점 · 네이버

naver.me

 이주연 (INFP)

와.. 우진.. 이걸 다 혼자 계획 짠 거야?

오전 3:21

 윤수인 (INTJ)

역시 우진

믿고있었다구

오전 3:21

 안수빈 (INTP)

님 근데 저거 다 시간 맞춰서 할 수 있다고 생각해요?

오전 3:22

 오상은 (ENFJ)

왜 못해

J들한텐 일상인데

오전 3:22

 윤수인 (INTJ)

ㅇㅈ 난 다다음날까지 뭐 할지 계획짜놓음 ㅎㅎ

오전 3:22

 김서인 (INTP)

굳이?

오전 3:23

이해인 (ISTP)

전 숙소에서 자도 되나요...

오전 3:23

이우진 (INFJ)

안돼!! 여행은 여행답게 뽕뽑고 와야지

오전 3:23

김지유 (ISFP)

그 날에 딩딩이동해막국수 안땡기면 어떡함?

오전 3:24

김서인 (INTP)

그니까

난 감자옹심이 먹고싶은디

오전 3:24

이우진 (INFJ)

그럼 너네가 계획 짜든가...💢

오전 3:25

작성자 프로필

닉네임: 쥬깅이
나이: 18
덕원예술고등학교 2학년 재학중
MBTI: ISFP
혈액형: A
좋아하는 색깔: 프러시안 블루
잘하는 것: 차분하게 말하기
못하는 것: 거절하기
취미: 새벽에 노래 틀고 감성 타기
좌우명: 착하게 살자

닉네임: 김씨임
나이: 18
덕원예술고등학교 2학년 재학중
MBTI: INTP
혈액형: AB
좋아하는 색깔: 초록색
잘하는 것: 하루종일 침대 밖으로 안 벗어나기
못하는 것: 대충 넘어가기
취미: 축구선수 덕질하기
좌우명: 중요한 것은 꺾이지 않는 조규성!

닉네임: 칼챔충
나이: 18
덕원예술고등학교 2학년 재학중
MBTI: INTP
혈액형: B
좋아하는 색깔: ..없음
잘하는 것: 할 일 미루기
못하는 것: 대충하기
취미: 경쟁 게임하기
좌우명: 스스로 불러온 재앙에 짓눌려

닉네임: 오슌뷰
나이: 18
덕원예술고등학교 2학년 재학중
MBTI: ENFJ
혈액형: A
좋아하는 색깔: 연두색
잘하는 것: 다른 사람의 감정을 빠르게 파악해서 챙겨주기
못하는 것: 다른 사람 신경 쓰지 않기
취미: 내향형 친구들 모으기
좌우명: 다정하고 재미있는 사람되기

닉네임: 아콰멘
나이: 18
덕원예술고등학교 2학년 재학중
MBTI: INTJ
혈액형: O
좋아하는 색깔: 그린
잘하는 것: 돌아다니기
못하는 것: 오랫동안 밖에 있기
취미: 가 없소용
좌우명: 기분이 태도가 되지 말자

닉네임: 우딩딩
나이: 18
덕원예술고등학교 2학년 재학중
MBTI: INFJ
혈액형: B
좋아하는 색깔: 콘플라워 블루
잘하는 것: 침대에서 안 나가고 인터넷하기
못하는 것: 많은 사람들 앞에서 발표하기
취미: 드로잉, 음악 듣기, 풍경 감상
좌우명: 너무 걱정하지 말자!

닉네임: 이쮸
나이: 18
덕원예술고등학교 2학년 재학중
MBTI: INFP
혈액형: B
좋아하는 색깔: 버밀리온
잘하는 것: 웃기! 미소 짓기!
못하는 것: 눈치보지 않고 행동하기...
취미: 농구직관!
좌우명: 행복만 가득 ～

닉네임: 행행
나이: 18
덕원예술고등학교 2학년 재학중
MBTI: ISTP
혈액형: A
좋아하는 색깔: 인디고 블루
잘하는 것: 잠자기
못하는 것: 깨어 있기
취미: 엄마가 화낼 때까지 누워있기
좌우명: 내가 힘든데 지금 그게 문제니?

흥미로운 썰
푼다
(마술사 ver)

01

이걸 진짜 예술이라고 해야 됨?

시체로 작품 만든 썰 푼다

내 여동생과 바람난 남편에게 복수한 썰

아니 얘들아 너네라면 똥 담긴 **4억**짜리 통조림 캔 열어볼 거임?

ㄷㄷ 정체불명 화가가 불법으로 작업한다는데?

관객에게 목숨을 맡긴다고......?

고흐가 귀를 자른 이유는...(더 보기)

요즘 **AI** 진짜 무섭다......

데미안 허스트의
개념예술

1965 ~

익명
02/02 02:06

이걸 진짜 예술이라고 해야 됨?

친구들이랑 여행 와서 미술관 갔는데 데미안 허스트 작품 보고
너무 놀람....

<살아있는 자의 마음속에 있는 죽음의 육체적 불가능성>
이라는 작품이었는데 제목만 듣고는 별생각 안 하고 있었거든?
근데 실제로 가서 보니까 살아있는 상어를 죽여서 통째로
박제해놓은 게 작품이었던 거야;;
 나는 작품 보고 너무 충격받고 잔인하다고 느껴서 친구들한테
얘기했더니 걔네는 이런 게 예술이라면서 내가 뭘 몰라서
그렇다는 거임 ....ㅜ

 그 말 듣고 어이없어서 내가 직접 조사를 해봄ㅇㅇ

 일단 데미안 허스트는 개념미술을 기반으로 작품을 만들어.
허스트의 대표 작품으로는 <천 년>, <분리된 어머니와 아이>,
그리고 앞서 말했던 <살아있는 자의 마음속에 있는 죽음의
육체적 불가성> 등 죽은 동물의 시체를 사용하거나 희귀종
나비들을 박제하여 만든 작품까지.... 자극적인 작품들로
사람들의 이목을 끎.

 특히 <천 년>이라는 작품은 실제로 죽은 소 머리와 파리를
각각의 방에 놓은 뒤에 파리가 소 머리를 먹으러 가는 순간
그 방에 있는 전기가 흐르는 살충등이 작동하여 파리가 죽고,
죽은 소 머리에서 생기는 구더기가 떨어진 죽은 파리를 먹는
상황을 관객에게 보여주며 삶과 죽음은 하나로 이어져있다는
심오한 주제를 나타냄.

그래서 그런지 허스트의 작품은 호불호가 정말 심하게 갈림. 까와 빠를 동시에 가지고 있는 거지. 작품에 대한 평가도 크게 두 가지로 나뉘어. 첫 번째로 "이건 예술이 아니라 쇼비즈니스다"라는 의견과 "허스트의 작품으로 인해 죽음을 다시 생각해 볼 수 있어 가치가 높다"라는 의견이야.

첫 번째 의견은 허스트의 작품은 예술이 아니며 그저 쇼비즈니스이고, 허스트는 그저 동물의 죽음을 이용하여 자신의 부를 늘리는 수단으로 쓴다는 것이야.
특히 그의 작품들은 보통 그저 한 동물을 박제하거나 박제한 동물들을 배치하는 것에서 끝나는데, 이런 형식은 관객들에게 작품에 대한 호기심을 불러올 수도 있지만, 그저 죽은 동물을 방치한 뒤 제목만 붙인 작품은 불쾌함을 불러오기도 쉽잖음;;
허스트는 이것을 개념미술로 생각하고 만든 거라고 하지만, 그게 어떤 사람들에겐 개념미술이고 뭐고 그냥 잔인하고 자극적일 뿐일 수도 있다는 거지~

두 번째 의견은 허스트의 작품으로 인해 죽음을 깊게 생각해 볼 수 있다는 기회를 준다는 것이야. 이전 예술에선 실제 죽음이 없던 것과 달리, 허스트의 작품에서는 실제 죽음을 경험할 수 있기 때문에 죽음에 대해 깊게 고민하는 사람들에게는 직접적으로 와닿는 메시지를 줄 수 있단 거임.
그리고 이러한 경험은 보통 일상에서 쉽게 체험해 볼 수가 없어서 가치도 높게 평가되잖아? 또한 실제로 작품을 본 사람들은 작품의 시각적 완성도가 높아서 작품으로서의 가치가 충분하고, 만약 작품이 그저 자극적이기만 하고 예술적 미학이 없었더라면 이렇게까지 유명해지진 않았을 거라고 주장하고 있음.

나는 죽음에 대해 생각해 보는 기회를 준다는 점은 동의하지만 그래도 수많은 동물들을 죽이면서까지 그런 기회를 갖고 싶진 않아서 그런지 아직도 불편하더라,,
너넨 어떰?
다들 어떻게 생각하는지 MBTI랑 반응 알려줘

♡ 67 ♡ 7

INFP 이쮸
02/02 07:29

나 infp... 오늘 이 작품 처음 알게 됐는데 네가 올려준 <천 년>
작품 사진 보고 진짜 충격받음.... 진짜 살아있는 생명을
죽여서 작품을 만든 느낌이 잘 드러나서 더 충격인 것 같아..
글로써만이 작품의 의도에 대해 들었을 때는 삶과 죽음이
하나로 이어진 것을 표현한 것이 참 인상적이고 평소에도 그런
내용을 좋아해서 기대했는데... 이건 아니잖아..!ㅜ 다른
방식으로도 표현할 수 있었을 텐데..
작품의 의도는 많은 생각을 해볼 수 있어서 좋았다고
생각하지만 비윤리적인 방식으로 작품을 풀어나간 것이 조금
불쾌감이 드는 작품인 것 같아서 아쉬웠다고 생각해.....😢

42

INFJ 우딩딩
02/02 10:05

나 infj인데 이 작품과 예술가를 접하고 정말 현대미술이란 모순적이라고 생각했어. 가장 많이 좋은 쪽이든 나쁜 쪽이든 관심을 일단 받으면 현대미술로서의 작품의 가치가 높아지고 작품의 가격 또한 기하급수적으로 치솟으니까.

작품의 제작자인 허스트는 "우리 문화에 깊게 스며든 죽음에 대한 광적인 부정 현상을 보여주려 이 작품을 만들었다"라고 말했어. 이러한 작품의 의도를 중점으로 작품에 대해 생각해 보면, 나는 이 작품이 정말 효과적이고 인상적으로 감상자들에게 다가갔다고 생각해. 그리고 죽음에 대해 깊게 제공했다는 점에서 작품의 의의가 있는 것 같아.

그러나 작품 속 썩어가던 상어를 비슷하게 생긴 상어로 교체시킴으로 발생하는 윤리적인 문제를 피하기는 어려워 보여. 돌이킬 수 없이 썩은 상어가 작품의 의도와 맞지 않아 교체가 필요했더라도 그만큼 많은 상어의 희생이 필요했을까라는 의문이 드네.

그리고 허스트는 교체한 상어의 작품의 가격이 한화 약 155억 원으로 처음 작품의 가격보다 훨씬 오르면서 언론 플레이를 위해 구매 가격을 부풀렸다는 루머에 휩싸였다고 하더라고? 근데 모순적인 것은 그 가격을 부풀렸다는 루머 덕분에 작품의 가격이 현저히 올랐다는 거지..;; 나는 이런 상황이 너무 현대미술을 초고가 시장으로 몰아가는 데 일조한다는 점에 좋게 보이지는 않아. 그래도 루머들을 발생시켜 역설적으로 관심과 작품의 가격을 증가시켰다는 점에서 데미안 허스트의 작품, 그리고 타고난 마케팅과 브랜딩 능력을 무시할 수는 없는 것 같아.

INTJ 아콰맨
02/02 03:13

나 intj임
요즘 예술계에서 죽음에 대한 고찰을 다룬 작품이 많이
등장하는 것 같음.. 사실 삶과 죽음을 계속해서 생각하는건
과거부터 이어져 오는 인간의 본성인 것 같아. 그걸 예술로
어떻게 승화 시키는 지가 다른 거지. 옛날에는 어땠을지
모르지만 현대에는 인권만큼 동물권이 많이 존중되고 있잖아..
그만큼 예술계에서도 동물권을 어느정도 반영해야 한다고
생각해 ㅜㅜ

ENFJ 오숀뷰
02/02 07:21

나 enfj인데, 솔직히… 죽음을 느끼게 하기 위해서 다른 생명을
죽인다는 것이 오만하다고 느꼈고 불편함. 여태까지 죽음을
다룬 예술작품은 많았잖아? 이렇게까지 하면서 죽음을
다룬다는 것이 오히려 나에게는 그 사람이 죽음을 가볍게
여기고 있다고 느껴짐.
만약 이 작품을 긍정적으로 받아들인다면 나중에는 그 선이
어디까지일지 생각하게됨.

INTP 김씨임
02/02 08:14

나 intp인데
나는 개인적으로 너무 자극적인 작품은 진정한 작품의
의미보다는 자극적인 선정물에 가까울 때가 많다고 생각해.
하지만 이건 나의 생각일뿐 자극적인 작품이건 아니던 작품을
만들어내는 것은 작가의 표현의 자유안에 포함된다고
생각하기 때문에 내가 왈가왈부할 수 있는 것은 아닌 것 같아.
또 한편으론 데미안 허스트가 대단하다고 생각이 드는게
자극적인 작품을 만들다보면 작품성보다 자극적임에 더
취중될 수도 있는데 데미안 허스트는 자극적임과 작품성 둘다
챙겼다는 것은 대단한 것 같아.

INTP 칼챔충
02/02 05:01

흠.... 만들어낸 죽음의 대한 경험이 가치있나? 당장 우리만
해도 그 작품으로 죽음에 대해 생각해 본다거나.. 하는게
아니라 작품의 윤리성에 대해 말하고 있잖아. 일단 이
시점에서 작가의 의도 전달에는 좀 실패한 듯.. 미학적으로
아름답다는 건 인정해.. 예찬하는 사람들도 그 부분에 끌리지
않았을까? 싶음. 근데 그게 동시에 죽음을 설계하고
가공했다는 뜻이잖아.. 너무 인위적이라서 거부감이 먼저 드는
것 같아.
죽음에 대한 성찰? 개념미술? 뭐 다 좋다 이거야. 근데 다른
삶의 무게를 모르는 사람이 죽음을 표현하려 했단 게 좀..
심지어 상어를 박제한 작품은 사체가 썩어서 새로운 상어로
교체했는데, 그 과정에서 상어 다섯 마리가 더 죽었대. 기존의
상어와 제일 흡사한 새 상어를 찾기 위해 그랬다는데..
살아있는 사람들이 죽음을 보면서 삶의 소중함을 깨닫게 하고
싶단 것이 취지라면서, 그 소중한 삶을 수단으로 사용했단 것
자체가 표현상의 한계이고 모순같음!!

ISFP 쥬깅이
02/02 09:16

나 공감 능력 좀 쩌는 잇프피지만.. 허스트의 작품은 너무 노골적으로 죽음을 보여줘서 나도 모르게 인상을 찌푸리게 되더라.. 물론 관객들은 보면서 많은 생각이 들겠지만.. 나는 허스트의 작품 제작 방식에 동의하는 입장은 아니야. 동물 사체가 썩어가는 모습을 그대로 전시해서 파리 떼와 구더기가 꼬이게 하고, 전시 작품을 위해서 나비 4천 마리를 죽이고.. 작품을 위해 이런 무분별한 동물 소비를 한다는 게 별로 좋은 방식은 아닌 것 같아. 그 작가의 의도가 뭐가 됐든, 나는 불쾌하다는 생각밖에 안 들었어. 정말 현대 예술은 뭘까 •••

02

시체로 작품 만든 썰 푼다

얘들아! 나 어제 오랜만에 독서했는데, 책에서 고양이 시체로
작품 만든 이야기 봤어..ㄷㄷ
책의 저자는 처음에 찌그러진 금박 축구공을 트로피처럼 좌대
위에 올려두어 '축구에 대한 경의를 표현한 작품인가?'라고
지레짐작했는데 작품 설명을 보고 짐작이 산산이 깨졌대.
간단하게 작품 설명해 보자면 교통사고로 인해 차도에서
안타깝게 사망한 고양이를 갈아서 찌그러진 축구공을
만들었다고 하더라고…나는 작품을 보고 인간의 법칙을 알고
따르지 못했다는 이유만으로 차디찬 길 위에서 죽음을 맞아야
했던 지금까지의 모든 동물들이 너무 안타까웠어..

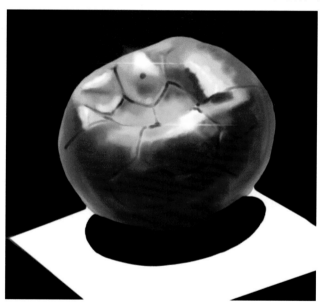

이 작품은 이완 작가님의 '안녕, 크리스'라는 작품이야. 더
알아보고 싶으면 직접 더 찾아보길 바라! 그리고 읽고 어떻게
생각하는지 댓글로 의견 남겨줘!

+내가 더 알아봤는데 이완 작가님이 작품 옆에 어떤 시를 나란히 개재하셨더라고!

> 너와 함께 달리던 들판이 생각나
> 시원한 바람을 가르며 황혼을 향해 달렸었지
> 그때 우린 언제까지나 함께일 것만 같았는데
> 난 있지, 너와 함께 달리던 때가
> 가장 행복했어
> 나를 위해 슬퍼하지 마
> 너는 곧 새로운 친구가 생길 거야
> 그리고 나를 대신해 또다시 들판을 달릴 수 있을 거야
> 하지만 항상 너를 기억할게
> 우린 영원하지 않아
> 안녕 크리스

이 시야.ㅠ 시를 읽으니까 로드킬이라는 문제가 더 슬프게 환기되는 것 같아.. ㅠ

나는 '로드킬'이라는 문제를 다룬 이 작품을 보고 동물원에 대해 생각하게 되었어. 흔히들 동물원을 어렸을 때 아이들의 관찰력 등을 키워주기 위해 많이 가고, 동물원을 꼭 필요한 곳이라고 인식하잖아. 근데 나는 동물원에서 동물과 아이들의 관계가 비정상적이라고 생각해. 아이들에게 동물들이 같은 생명체로서 서로를 이해해야 하는 존재가 아니라 일방적으로 구경거리, 즉 살아있지 않은 물체와 다름없게 여겨지고 있는 것 같기 때문이야. 다들 작품에 대해 생각해 보고! 시간이 나면 동물원에 대해서도 댓글 달아주면 고마울 것 같아!

++저자의 글을 보니까 '이완' 작가님에 대해서 더 궁금해져서 찾아봤어! 이완 작가님은 현대 사회의 구도와 본질에 대해 끊임없이 의문을 제기하는 아티스트이셔. 작가님은 '의미 있는 것이 무엇이라고 생각하는가'라는 질문에 '사람들이 살아가면서 자신이 정말 바라고 원하는 삶을 사는 것' 그리고 '다른 사람에게 더 좋은 의미를 던져줄 수 있는 것'이러고 말씀하셨어.

그리고 '안녕, 크리스'와 작품 제작 형식이 비슷한 작품을 찾아봤어. 이완 작가님의 작품 중에서 닭고기를 재가공한 'Chicken Baseball_ Grated chicken materials2008'이라는 작품이 유사한 것 같더라!

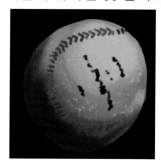

♡ 67 ⟲ 7

ENFJ 오숀뷰
10/05 07:21

나 enfj인데… 굳이 그 방법을 써서 작품을 만들어야 했을까?
너무 잔인해! 이 주제로 메시지를 전달하고 싶었다면 다른
방식으로 만든 작품으로도 할 수 있지 않나 싶음.

INFP 이쮸
10/05 07:29

나 INFP인데, '로드킬'로 인해 사망한 고양이의 시체로 작품을
만들었다고? 와 진짜 상상도 안감.. 너무 잔인하지
않나….ㅜㅜ 인간이 편의를 위해 만든 인공 도로에서 인간에
의해 죽은 동물을 가지고 인간의 욕심을 위해 예술이랍시고
작품을 만든다니,, 진짜 무섭다….
아 그리고, 로드킬하니까 생각난 건데, 난 솔직히 동물원에
대한 인식도 조금 바뀌어야 한다고 봐. 단순 동물을 키우는
행위를 넘어 전시 행위 등 여러 볼거리를 제공하면서
관람자들에게는 즐거움을 주고 동물들에게는 고통일 테니까….
검색해 보니까 인터넷 여기저기에서 동물원 폐지 관련해서
엄청나게 열띤 토론이 이어지고 있던데.. 다들 어떻게 생각해?

ENFJ 오손뷰
10/05 07:29

동물원은 생태교육의 장으로서 기능하지 못하고 있음ㅜㅜ
동물원은 종종 보호를 위한 장소로 주장되지만,
인공적으로 만들어진 서식지나 유지 관리가 필요 없는
동물들의 보호구역 등, 대안이 있음..!
동물원은 서서히 폐지되는 게 맞는다고 봄..

INTP 칼챔충
10/05 09:18

인팁인데 전하고자 하는 의도가 좋고 공감된다.. 근데
고양이의 시체를 마음대로 이용해도 될지에 대해선 잘
모르겠어 작가가 그 고양이를 위해 슬퍼하기보단 그냥 죽음에
대해 슬퍼했기 때문에 그런 발상을 할 수 있었던 게 아닌가
싶어

 ISTP 행행
10/05 02:02

istp인데 처음엔 그냥 죽은동물에 대한 의미가 있나? 싶었는데
동물원의 존재까지 관련된 작품의 의도를 보니 그만큼 의미가
있는 것 같아. 게다가 살아있는 동물을 일부로 죽인 것 도
아니고 이미 죽은 동물을 통해서 우리가 다시 그 의미를
생각해 보게 하는 것은 그 고양이의 죽음대한 존중의 한
방식이라는 생각도 든다,,…. 작품에 슬픈 스토리가 있어서
그런가? 나도 약간 우울해지고 한편으론 좀 슬퍼…,ㅜ

INTJ 아콰맨
10/05 03:13

나 intj인데
솔직히 너무 기괴한거 아니야..?
고양이 시체로 만들었다고..? 지금 고양이 키우고 있는
사람으로서 너무 끔찍해 ㅜㅜㅜㅜ 근데 작품은 어떻게 보관
되는거야?? 아무리 시체를 갈았어도 썩고 악취도 날 것
같은데.. 재료가 너무 황당해서 오히려 궁금하게 만드는 것
같아.
근데 아무리 의미를 담고있더라도 이런 작품이 윤리적으로
괜찮은지는 조금 더 깊게 생각 해 볼 필요가 있는 것 같아 …
이 작품을 통해서 불쾌감을 얻는 사람들도 분명 있을 거야
ㅜㅜ

INTP 김씨임
10/05 08:14

나 intp인데
'안녕 크리스'는 도덕성 측면에서 선을 넘은 작품이라고
생각해. 직접적으로 고양이 시체를 사용하는 것이 아니라 그와
비슷한 인공물을 사용하거나 또는 직접 그려서 자신이 원하는
바를 표현했어도 충분히 작가의 의도가 잘 드러날 수도 있었지
않았을까 싶어.

ISFP 쥬킹이
10/05 09:16

나 대문자 F인 잇프피인데.. 윽.. 고양이 시체로 예술 작품을?
진짜 동물 키우는 사람들에겐 끔찍한 악몽 그 자체일 듯.. 이
작품을 완전히 예술로 받아들일 수 있는 사람 몇 안 될 것
같음.. 로드킬 문제에 관심 가져야 하는 건 맞지만 이렇게
전달하는 방법은 너무 지나치다고 생각해.. 쓰니가 같이
올려준 시 덕분에 먼가 작가의 의도가 보이고 로드킬 당하는
동물들이 안쓰러워지긴 했어.. 그리고 동물원? 동물을 제대로
보호해 준다면 찬성이지만, 각종 동물 쇼 같은 상업적
볼거리를 우리에게 제공함으로써 그 쇼를 준비하기 위해
훈련받는 동물들은 엄청난 스트레스와 고통에 시달릴 거야..
그리고 가끔씩 얼룩말 같은 동물들이 탈출해서 도로에
나타나는.. 뉴스 뜨는 거 다들 한 번쯤은 본 적 있지? 왜
탈출했겠어..ㅠㅠ 동물원이 얼마나 감옥 같고 고통스러웠을까
너무 불쌍한 것 같애.. 동물들 아프지말구 보호받았으면
좋겠어 ㅠㅠ

03

이걸 진짜 예술이라고 해야 됨?

시체로 작품 만든 썰 푼다

<u>내 여동생과 바람난 남편에게 복수한 썰</u>

아니 얘들아 너네라면 똥 담긴 4억짜리 통조림 캔 열어볼 거임?

ㄷㄷ 정체불명 화가가 불법으로 작업한다는데?

관객에게 목숨을 맡긴다고······?

고흐가 귀를 자른 이유는...(더 보기)

요즘 AI 진짜 무섭다······

프리다칼로
07/21 02:06

내 여동생과 바람난 남편에게 복수한 썰

평생 나는 심각한 사고를 두 번 당했음
하나는 18살 때 나를 부스러뜨린 전차고
두 번째 사고는 바로 그 남편임
두 사고를 비교하면 그가 더 끔찍했어..

나와 내 남편의 인연은 내가 그에게 내 그림을 평가받으러
그를 찾아간 것부터가 시작임. 그는 멕시코 혁명 이후에
멕시코의 역사와 미래를 벽화로 그렸음. 그는 혁명정부의
요구사항을 잘 반영해 그린 화가였지. 그래서 사실상 그
사람은 벽화 의뢰를 독점하던 그 시기 최고의 화가였음…
나는 그런 그를 동경했고, 그도 나의 그림을 보고
감명받았으며 그도 나를 진정한 예술가라고 인정했지.

결국 관계가 발전해 연인이 됐던 우리는 마침내 결혼하기로
했음. 하지만 그는 이미 두 번의 이혼 경력이 있었고 그는
나보다 21살이나 많았음. 우리를 코끼리와 비둘기라고 불렀을
정도임 ㅜㅜ 많은 사람과 심지어 부모님도 우리 사이를
반대했지만, 결혼할 만큼 나는 그를 진심으로 사랑했었음.
심지어 나의 생명 수단인 그림을 잠깐 내려놓고 그의 옆에서
보필해 주려고 했다니까?
그때 나의 소원은 세 가지였는데 그와 함께 사는 것, 그림을
그리는 것, 혁명가가 되는 것이었어. 두 개는 이뤘네.

나는 그의 아이를 갖고 싶어서 큰 노력을 했지만 결국
유산하게 되고, 힘들어하는 나에게 종이와 연필을 선물해
그림을 그려보는 게 어떤지 제안했음.
하지만 그가 나를 신경 쓴 건 그것뿐이고..
그는 내가 유산의 아픔으로 고통받았을 때를 이런 식으로
이야기했음.

프리다칼로 <단지 몇 번 찔렀을 뿐> (1935)

"기존의 어떤 예술사에서도 찾을 수 없었던 개성 넘치는 걸작들을 만들어 내기 시작했다. 진실을 직시하고, 잔인한 현실을 받아들이며, 고통을 감내하는 힘이 고스란히 담긴 작품들이 있다."

도대체 남편인지 평론가인지 모르겠다 ㅋㅋ 나의 고통을 알긴 한 걸까?
심지어 내가 임신을 간절히 원했던 이유가 사실.. 평소에 외도가 잦았던 남편을 정신 차리게 해서 정착하게 하고 싶은 거였음..

그가 나에게 준 상처는 그 뿐만 아님
내가 겪은 최악의 사건인, 내 동생과의 불륜. 내가 제일 아끼던 동생과 내 남편과의 불륜이라니 심지어 그가 그린 내 동생 누드화까지 있음. 기가 차지 않냐? ㅋㅋ

걔가 그러더라. 자기는 이상하게도 한 여인을 사랑할수록 더 많은 상처를 주고 싶었대. 나는 고통을 주고 싶었던 여인 중 한 사람일 뿐이었다고. ㄹㅇ 가관임..

그리고 나는 더 이상 구질구질한 한 남자에게 얽매이지 않기로 했음
그리고 나는 일본인 조각가랑 사귐
근데 걔가 이 사실을 알자마자 발광하면서 그 사람을 찾아가서 협박까지 했음. ㄷㄷ 이제는 배우자의 불륜이 얼마나 고통스러운지 깨달은 걸까?
하지만 난 여기서 멈추고 싶지 않았고, 그가 존경하던 인물 중 한 명인 러시아 혁명가와 비밀연애를 시작했음 근데… 그 사람이 남편을 개인적인 감정 때문에 차별하길래 화가 나서 더 이상 만나진 않았음.
여태까지는 복수 때문에 남자를 만난 게 크지만, 그때 뉴욕에서 제일 유명하고 인기가 많았던 사진작가와는 진심으로 사랑하는 연애도 했음.

프리다칼로 <두 명의 프라다> (1939)

그리고 나는 예술적으로도 성장하게 됨. 멕시코시티에서 내 전시회가 열렸었는데 그때를 계기로 뉴욕 개인전 제안도 받았음. 나는 그림 그리는 목적이 나를 치유하기 위해 그리던 것이어서 꾸밈없으며 솔직한 그림을 그려왔는데 그 스타일이 뉴욕에서 반응이 좋았고 유명한 타임지에 실리기까지 했음. 이런 과정을 겪으면서 비로소 예술이 나를 자유로워지게 만드는 것이란 걸 깨달음. 내가 그림에 채운 솔직한 감정들을 인정받은 것, 즉 예술적 성공이 최고의 복수였다고 생각함.

내가 여기까지 온 것에 대한 많은 이야기가 있더라. 우리가 예술을 하기 위해 그와 만났어야 할 운명이라고. 다들 이거에 대해서 어떻게 생각해? MBTI랑 반응 알려줘.

♡ 67 ♡ 7

 INTP 칼챔충
07/21 09:18

쓰니야..고생많았어 어쩌다 그런 남자한테 감긴 건진 모르겠지만... 그래도 이젠 그놈이 나쁜놈인거 알고 끊어냈다니 진짜 다행임
근데 이제와선 지나간 일은 지나간 일이니까 걔가 너한테 남긴 좋은 흔적만 기억하자 과정이 구리면 결과만 보면 되는거임!!
너가 너를 위한 그림을 쭉 그렸음 좋겠어.. 그리고 꼭 좋은남자 만나고.. 행복하고..

INFJ 우딩딩
07/21 10:05

나 infj인데..

　나는 네가 통증과 지루함과 싸우며 자신을 구원할 수 있는 것은 오직 그림뿐이라는 것을 깨닫게 되는 것이 인상 깊었어.. 왜냐하면 내가 심한 교통사고를 겪었다면 삶의 의지를 잃고 모든 것에 낙담했을 것 같거든.. 근데 그 고통을 예술로서 승화시킨 너의 모습이 너무나 멋지더라!

　남편이 바람둥이였다는 것도 충격이었지만…. 남편과 네가 21살이나 차이 났다는 것과 남편의 불륜에 화가 난 너도 함께 바람을 피웠다는 사실이 너무나 충격적이었어..ㄷㄷ 어떻게 21살 어린 소녀인 너와 결혼해서 계속 불륜하고, 심지어는 너의 아내의 동생과도 바람을 피우다니.. 근데 네가 남편의 우상과 바람을 피우니 바로 이혼하자는 건 뭐야..;; 진짜 내로남불 그 자체;; 하…네가 너무 아깝다 진짜;;차라리 나한테 오는 건 어때? 잘해줄게~~~😉

　너도 예술로써 인정받았지만 그런 바람둥이가 현재 너보다 미술계의 거장으로 유명한 것이 정말 납득이 안 돼. 분명 시간이 많이 흐른 뒤에는 너의 가치를 알아주는 사람들이 남편에 비해 기하급수적으로 늘어날 거야. 난 널 응원한다! 어떤 이들은 남편이 끊임없이 너에게 고통을 안겨주었기 때문에 너의 예술이 탄생할 수 있었다고 말하더라고! 진짜 어이없지 않아? 그런 사람답지 못한, 짐승 같은 행위들이 이렇게 이쁘게 포장되어도 괜찮은 거야? 나는 아니라고 생각해.. 나는 네가 예술적으로 이미 준비된 사람이었지만 남편을 만나 너의 최대한의 예술적 발전을 이룩하지 못했다고 생각해. 물론 너는 지금도 너무나 훌륭한 예술가야.. (내가 인정함ㅇㅇ) 근데 네가 남편을 만나지 않고 행복하게 살았다면 표현했을 제목 모를 작품들이 궁금하다는 이야기지!

INFP 이쮸
07/21 07:29

나 infp!
진짜 보는 내내 입을 다물지 못함..... ㅎㅎ 충격이다.....😱
네가 그린 작품만 보고 대체 어떤 심정이면 이런 그림이
나올까 했는데... 네가 겪은 글을 읽고 진짜 그럴만하다고
느꼈어..
너의 미술 생활?에서 많은 영향을 줬던 사람과 너의 가족의
불륜이라니.....ㄷㄷ ㄹㅇ 내가 다 서럽다ㅜㅜ "나는 결코 꿈을
그리는 것이 아니다. 나의 현실을 그릴 뿐"이라고 한 너의
말처럼 너의 상황을 진정한 예술가로서 표현해낸 점이... 진짜
대단하다!!!!

ISTP 행행
07/21 02.02

Istp인데 남편이 지속적으로 다른 사람이랑 외도를 했음에도 계속해서 참아주던 거 대단하다;; 나는 한 번 실망한 사람한테는 다시 마음 열기가 힘들더라고…. 너가 얼마나 남편을 좋아했는지 알 것 같음…..ㅜ 아픔을 예술로 승화한 작품이 다른 사람들의 마음을 사로 잡아서 다행이야! 지금은 남편보다 잘나가고 성공했다니 다행인 것 같당~… 앞으로 더더 성공해라!!

INTJ 아콰맨
07/21 03:13

나 intj인데
남편의 바람이 너에겐 정말 큰 슬픔을 주었지만 그로 인해 더
깊이 있는 그림을 그릴 수 있게 되었고 예술적으로 성장했다고
하는 너의 마인드가 너무 멋있는 것 같아!! 한결같이 계속
바람피는 남편xx 잊어버리고 너만의 길을 가서 성공하는 게
진짜 복수 성공인 것 같다 ㅋㅋㅋ 그리고 나는 너의
자유로우면서 직설적인 그림스타일이 정말 좋아!

ISFP 쥬킹이
07/21 09:16

나 잇프피인데 와.. 쓰니야 너 정신적인 충격이 장난 아니었겠다 ㅠㅠ 읽으면서 ㄹㅇ화났음 어떻게 바람이 나도 네 동생이랑 나냐.. 한 여인을 사랑할수록 더 많이 상처를 주고 싶었다? 이건 ㄹㅇ 싸패아니냐 쓰니 결국엔 좋은 사람 만나고 예술로 크게 성공해서 다행이다 고생 많이 했겠어 ㅠㅠ 그래도 긍정적으로 생각해 보면 이런 고난이 있었기 때문에 많은 걸작들이 나오고 세계에 너를 알릴 수 있는 계기가 된 거 아닐까?

INTP 김씨임
07/21 08:14

나 intp인데
누군은 불륜한 상대로 맞불륜을 한 것을 보고 비난할 수
있지만 나는 무조건적으로 잘못한 것이 아니라 복수하는 방법
중 하나였다고 생각이 드네. 남편이 불륜을 저지른 이런 힘든
상황 속에서도 좌절하지 않고 작품 활동을 한 것이 대단하다고
생각해. 그리고 뉴욕 개인전 제안까지 받는 결과까지..폼
미쳤다

04

이걸 진짜 예술이라고 해야 됨?

시체로 작품 만든 썰 푼다

내 여동생과 바람난 남편에게 복수한 썰

<u>아니 얘들아 너네라면 똥 담긴 4억짜리</u>
<u>통조림 캔 열어볼 거임?</u>

ㄷㄷ 정체불명 화가가 불법으로 작업한다는데?

관객에게 목숨을 맡긴다고……?

고흐가 귀를 자른 이유는...(더 보기)

요즘 AI 진짜 무섭다……

익명
09/16 02:06

아니 얘들아 너네라면 똥 담긴 4억짜리 통조림 캔 열어볼 거임?

아니 내가 어제 수행평가 자료 조사하다가 신기한 걸 봤거든?
너네 '예술가의 똥'이라는 작품 알고 있었어? 난 몰랐는데
이게 이탈리아 예술가인 피에로 만초니가 깡통 속에 자신의
대변을 담아서 밀봉한 작품이래. 심지어 겉 포장지엔 뭐라고
적혀있는지 알아?

" 예술가의 똥, 정량 30그램, 신선하게 보존됨, 1961년 5월에
생산되어 저장됨 "
이렇게 쓰여있는 거야 대박이지 ㅋㅋ 피에로 만초니는 이런
통조림을 90개나 제작해서 각각 일련번호를 붙였대. 똥이
담긴 통조림 하나가 예술작품이라는 것도 놀라운데 심지어 이
통조림을 같은 무게의 금값으로 책정했다네. 이게 말이 돼?
솔직히 너무 비싸잖아. 너네라면 그 값을 주고 살 거야? 일단
난 안됨. 피에로 만초니가 이전까진 시장에 이 작품을 내놓지
않았다가 만초니가 사망하고 나서야 미술시장에서 거래가
되기 시작했대. 그것도 엄청 활발하게! 물론 보관을 잘못해서
가스가 새어 나오거나 부식된 통조림은 제외하고 ㅋㅋㅋ

보통 예술작품은 시간이 지날수록 작품의 가치가 상승하기
마련이잖아. 이때 피에로 만초니의 '예술가의 똥' 작품 가격이
엄청나게 올랐어. 거의 100배? ㄹㅈㄷ다.. 가장 최근인
2016년에는 한화 약 3억 6400만 원에 이 통조림 캔 이
낙찰됐대. 정말 어마 무시한 금액이지.. 그런데 그 통조림
안에는 정말 사람의 대변이 들어있을까? 누군가 열어보지
않으면 모르는 일이잖아. 내가 만약에 그 작품을 소유하고
있다면, 난 궁금하지만 안 열어볼래. 너넨 열어볼 거야?

난 상상만 해도 정말 악취가 날 것만 같아 ㅋㅋㅋ 아 진짜 kijul할 듯. 다들 개봉을 쉽사리 하지 못할 거야. 아까 말했다시피 이건 엄청나게 비싼 작품이라 함부로 훼손한다면 가치를 잃게 될 수도 있어!ㅠㅠ 이런 불확실성이 작품에 아이러니한 요소를 더해주는 것 같기도 해. 그래도 궁금한 건 못 참지. 어느 행사에서 프랑스의 예술가가 실제로 통조림 캔들 개봉했어. 뭐가 들어있었을까?

바로 솜 같은 것에 싸여진 작은 캔 하나! 여기서 더는 개봉하지 않았다고 하네. 어느 미술관의 큐레이터는 이렇게 말했어. "내가 만초니의 작품을 전시하다가 통조림이 조금 터졌는데, 이상한 냄새가 새어 나왔음" 으.. 무슨 냄새인지 말하지 않아도 알 것 같아.. 사실 더러워서 별로 안물안궁..라고 할 뻔. 그리고 또 만초니의 친구는 이렇게 말했어. "나도 만초니의 작품을 만드는 것을 도와줬는데, 실제 똥으로 만들더라. 내 눈으로 봄"또 다른 친구는 진짜 똥이 아니라던데.. 대체 누구 말이 맞는 거야? 여기저기에서 루머도 가득해. 정말 호기심을 자극하는 신선한 예술작품인 것 같아. 피에로 만초니 폼 미쳤다

사실 피에로 만초니가 이 작품을 제작하게 된 건, 뒤샹의 영향을 받았다고 해.. 너네 마르셀 뒤샹의 '샘'이라는 작품 알아? 소변기라고 하면 아마 알 거야. 뒤샹은 처음에 이 남성용 소변기를 자신의 작품이라고 밝히지 않았어. 이 작품을 본 평론가들은 이게 예술이냐며 비판했고 심지어 미술관 큐레이터들은 구석으로 치워버림. 이후에 뒤샹이 자신의 작품임을 밝히고 이 작품은 엄청난 파급력을 갖게 됐어 지금은 세계 곳곳에서 전시되고 있음. 현대미술의 한 획을 그었지. 이 개념을 레디메이드라고도 하고!

아무튼, 피에로 만초니는 이 돌발적이고 특이한 작품을 통해
예술가에 대한 기대와 권위적이고 경직된 미술 시장을 조롱,
비판했다네. 지금도 이 작품은 신랄하게 예술시장을 비판하는
작품으로 남아있고. 똥 담은 캔? 그게 뭐 돼? 하는 친구들도
있겠지만 난 정말 중요한 의미를 담았다고 생각해! 뒤샹의 <샘>,
피에로 만초니의 <예술가의 똥>두 작품 모두 현대예술에서
뒤늦게 인정받았지만, 이런 작품들을 예술로 볼 것이냐,
아니냐에 대한 입장은 끊임없이 감상자들, 비평가들 사이에서
논의되고 있어! 너네도 댓글로 어케 생각하는지 엠비티아이랑
반응 알려줘!!!

♡ 67 💬 7

ENFJ 오손뷰
09/16 07:21

나 enfj인데, 솔직히 처음 봤을 땐 장난 같았음 ㅋㅋ 똥이
예술이라는 게 억지처럼 느껴졌거든. 하지만… 작가의 의도를
듣고 나니 생각이 달라졌어! 나는 좋은 예술은 화두거리를
주는 예술이라고 생각해. 예술 작품은 질문을 던진다는 것에
가치가 있으니까! 기존 미술계의 고정관념을 깨부쉈고 당시
예술에 대한 허영심을 똥 사라는 메시지로 비판했다는 점에서
만초니의 예술가의 똥은 예술이라고 생각함.

INFP 이쮸
09/16 07:29

나 infp인데, 이 작품 처음 봤을 때 진짜 못 들은 걸로 하고
싶었음 ㅋㅋ 솔직히 너무... 더럽지 않아......?? 나만 그루냐..
ㅜ 근데 30g짜리 90개면... 2.7kg를...... ㅋㅋㅋㅋㅋ
내가 처음 그 작품이 나온 그 자리에 있었다면 절대 사지는
않았겠지만, 자신의 대변으로 예술계에 대한 메시지를
강렬하게 남겼다는 점에서 멋있게 느껴졌어..!! 자기 자신을
진정한 예술가라고 생각한다는 점에서!!

INFJ 우딩딩
09/16 10:05

나 infj인데 처음에 만초니의 똥 작품을 보고 너무 난해하다고 생각했어..
　그런데 쓰니 글을 읽어보니까 예술가에 대한 권위적이고 경직된 미술 시장을 조롱하고 비판하기 위해 작품을 제작했다고 하더라고? 나는 예술 작품이란 사람들에게 질문을 던지고, 충격을 주며, 자신의 생각을 드러내는 것이라고 생각하기 때문에 만초니의 똥은 하나의 작품인 것 같아!
　내가 엄청난 부자가 되었다고 생각해 보니깐..!
그러니까 만약 그 작품을 살 경제적 여력이 된다면! 나는 그 작품을 열어서 똥이 정말 들어가 있는지 확인해서 궁금증을 해결해 보고 싶어. 근데.. 나는 작품에 대해 생겨나는 호기심과 궁금증 또한 작품의 일부분이라고 생각하기 때문에 한편으로는 열고 싶지 않기도 하네..
　현대 미술에 한 획을 그은 만초니의 똥 작품과 '샘'이라는 작품을 알려줘서 고마워!! 덕분에 '예술이란 무엇인가?'에 대해 다시 한번 생각해 보게 되었어!

INTJ 아콰맨
09/16 03:13

안녕!! 나 intj양
피에로 만초니의 <예술가 똥>은 언제 들어도 신선한 것
같아ㅋㅋㅋㅋㅋㅋㅋ
사실 처음에는 개념미술이나 레디메이드 라는 게, 어떻게
예술이 될 수 있을까 생각했어. 왜냐하면 보통 그런 작품들은
원래부터 이름있는 작가들의 이름값을 받는 경우가 많잖아.
뒤샹의 <샘> 같은 경우에도 자신의 작품인 걸 밝히기
전까지는 그 소변기가 어떻게 작품이 될 수 있냐며 엄청
비판했잖아..ㅜㅜ 만초니의 똥 작품도 내가 했다고 생각하면
그냥 미친놈이지 ..ㅋㅋㅋㅋㅋㅋ
근데 작품성의 가치는 시대에 따라 달라지는 것 같아!!
예술은 항상 변화하는 존재라서 어떤 시대에 어떤 작품이
나오는지가 정말 중요해 ㅜㅜ 현대에서 걸작이라고 불리는
작품이 옛날에는 취급도 안 해줬던 경우도 있잖아 ㅜㅜ
지금, 근현대에 맞는 자기자신에 대한 고찰과 빠르게 변화하는
사회상에 적합한 예술이 가치를 인정받는 것 같아.
그렇기 때문에 기성품을 오브제로 사용한 작품들이 창의로
인정되면서 가치를 가지게 된 거 아닐까??

"나의 레디메이드는 개인 취미의 문제이다. 발견된
오브제와는 아무 관계가 없다. 이른바 발견된 오브제가
아름다운 것인가 특이한 것인가를 결정하는 것은 개인의
기호인 것이다. 기성품의 선택은 미적인 즐거움에 의한 것은
결코 아니다. 선택은 시각적인 무관심에 기초한 것이다."

이건 뒤샹의 레디메이드 개념이야! 다들 참고해서 읽어봐

INTP 칼챔충
09/16 09:18

하.. 인팁인데.. 예술이고 말고를 떠나서 있잖아..
부유층이 지배하는 권위적인 예술계에 대한 비판의도로 만든
작품인데, 만초니 본인도 귀족 가문에서 태어난 금수저
출신이고, 결국 이 작품은 그 부유층들한테 터무니없이 높은
가격에 팔렸어.
미술에 관심이 없는 사람들이 이런 걸 보고 현대미술을 욕하는
게 당연한데, 만초니가 조롱받기를 의도한 거라니.. 애초에
만초니는 이런 게 진짜 예술이다! 같은 평을 듣고 싶어서
작품을 만든 게 아냐.. 기존의 예술을 비판하고 공격하기 위한
도구였는데, 그러니까 현대미술을 욕하는 사람들의
편이었는데, 세태에 반항하는 목소리가 반항의 대상이 되는
자본가들의 귀에 감미롭게 들렸고, 결국은 그 시스템에 완전히
굴복하게 된 거잖아.. 뭔가.. 무력감이 느껴진다고 할까… 그래
그 일련의 과정이 예술적이라면 예술적이긴 하다..
#이게진짜현대미술이지_아ㅋㅋ
그리고 열어볼지, 아닐지에 대한 제 대답은요…
"죽어도 안 산다"
감사합니다.

INTP 김씨임
09/16 08:14

나 intp인데
똥이 담긴 통조림 캔은 그 존재만으로도 충격적이라고 생각이
드는데, 심지어 통조림 캔 안에 들어있는 것이 진짜 똥일지
아닐지 모르는 미스터리까지 있다니..! ㄷㄷ 이렇게 이슈가
많이 담겨있다면 나는 충분히 작품이라고 생각이 들어. 하지만
나는 똥이 담긴 통조림 캔을 열어볼 기회가 주어지더라도
열어보고 싶지 않을 것 같아 ㅋㅋ 그 통조림 캔을 열어보는
순간 엄청난 악취가 날 것을 생각해보면..으

ISTP 행행
09/16 02:02

istp인데 난 그냥 다시 팔아서 돈 벌 생각밖엔 안 듦. 아무리 개념미술이라고 해도 자신의 똥을 캔에 넣고 그것으로 인해서 호기심을 불러온다는 그 이유만으로는 나한텐 개념미술의 매력도 잘 안느껴짐ㅠㅠ 시각적으로 보는 미적가치가 아예 없는 것도 한몫하는 듯? 뒤샹의 경우는 이전의 업적들이 워낙 화려하고 이력들이 많으니 서명 하나 적혀있는 저 작품의 가치에 대해서 어느 부분은 납득도 가는데 만초니는 그냥 저 작품으로 유명한 거라서 더더욱 이해가 안 됨;; 캔 열어봤을 때 냄새났다는 거 보고 진심 더러워서 소름 돋았음; 이 작품이 4억하는 게 뜨억하다….

05

ㄷㄷ 정체불명 화가가 불법으로 작업한다는데?

얘들아아아악!! 내가 최근에 한 영상을 봤는데 ..거기에 나오는 작품과
작가에 대해 얘기해 보고 싶어서 글 써봐 ㅎ
경매에 낙찰된 그림을 바로 파쇄기에 갈아버리는 동영상 본 적
있어?? (유명해서 다들 봤을 것 같긴한데ㅋㅋ)
경매장에 있던 사람들은 모두 놀라고 언론에서도 난리였대
ㄷㄷ 이 사건의 주인공은 바로 뱅크시야!! 뱅크시는 경매 다음
날 자신의 sns에 "파괴의 욕구는 곧 창조의 욕구"라는
피카소의 명언을 남겼어. 이게 다 뱅크시의 퍼포먼스였던 거!

뱅크시는 정체불명 예술가,얼굴 없는 예술가, 그래피티
아티스트, 사회운동가, 영화감독…많은 수식어와 직업를 가진
아티스트야. 스스로를 `아트 테러리스트`라고 칭하는데 ㅋㅋ
정말 그런 게, 정치적인 작품, 사회풍자적인 작품,
탈권위주의적 작품….등 이슈가 될 만한 주제와 소재들로
직설적인 작품을 만들어 내거든!!
위에서 말한 동영상에 파쇄된 작품은 `풍선과 소녀`인데
해석은 각각 차이가 있지만, 순수함을
상징하는것들(풍선,소녀)을 파쇄시킴으로 예술의 가치를
매기는 경매 시스템을 비판했다고 해. 이러한 행위들로 인해
아트 `테러리스트`라고 판단한 것 아닐까??

사실 뱅크시가 하는 그래피티는 불법이야. 적발되면 바로
현행범으로 체포 할 수도 있대 ㄷ 그래서 뱅크시는 빠르고
간단하게 작업할 수 있도록 스텐실 기법을 사용해!
스텐실 기법은 판에 구멍을 뚫어서 구멍에 잉크를 통과시켜
찍어내는 공판화 기법이야 (내가 미술이론 쪽으로는 좀
빠삭해^^ㅋㅋ) 암튼

다들 이렇게 불법적인 루트로 작품을 남기는 거에 대해 어떻게
생각해?? 뱅크시가 이런 작품들로 사회에 대해 물음을 던지고
많은 사람들에게 관심을 받고있을 뿐만 아니라 예술계를
쥐락펴락 하는 것 같기도 해. 하지만 불법은 불법이잖아??
뱅크시의 행동으로 인해 그래피티 행위를 모방하는 사람들이
많아진다면 불편을 느낄 사람들도 생길거고, 불법행위를
가볍게 생각하게 될 수도 있을 것 같아 ㅠㅠ
그래도 뱅크시의 작품이 좋은 의미와 제대로 된 비판거리를
다루니까 이렇게 영향력 있는 사람이 된 것 같기도 해.
뱅크시의 그림이 있는 건물들의 가격이 폭등하고, 너도나도
뱅크시의 작품을 보존하려 하는 걸 보면 말이야 ㅋㅋ

너네 이거알아?? 뱅크시가 한 노인을 배우로 섭외해서
길거리에서 자신의 그림을 팔게했어. 그곳에는 뱅크시가 자주
그리는 쥐 그림도 많이 있었지. 하지만 그날 팔린 그림은 단
8점이었대 ㅜㅜ 이후에 뱅크시가 그 그림들이 자신의
그림임을 밝히자 그 그림들의 가격은 말도 안되게
올랐어. 이런 퍼포먼스가 예술의 상업화, 즉 예술의 가치를
어떻게 매길 수 있는지에 대한 고민을 하게 하는 것 같아.
솔직히 난 좀 멋있다고 생각해 ㅋㅋ 이런 퍼포먼스도 결국
자신이 뱅크시였기 때문에 가능한 거잖아!!!

정말정말 마지막으로~
뱅크시는 영화도 만들었어 ..ㅋㅋ 제목은 `선물 가게를 지나야
출구'야!! 무슨 뜻인지 감이 오지 않아??
보통 미술관,전시회를 가면 출구 바로 전 맨 마지막에
굿즈들을 파는 상점이 있잖아?? 이걸 풍자하는 제목이야
이것 또한 예술의 상업화에 대한 비판이 담겨있지.
이 영화에 주인공은 뱅크시와 미스터 브레인워시야
`미스터 브레인워시'는 Thierry Guetta(티에리구에타)의
활동명이야.

티에리는 미술에 일가견이 전혀 없는 사람이었지만, 뱅크시와 여러 사람들의 지지로 큰 전시회를 열고 유명세를 얻어 큰돈을 벌었어. 미술계에서 정말 떡상을 해버린 거지! (한국에서까지 전시를 했더라고 ㄷㄷ) 사실 이 영화는 이런 티에리의 모습을 조롱하는 내용이 담겨있어 ㅋㅋㅋ영화를 보면 알겠지만 티에리 정말 ..ㅋㅋㅋ웃긴것같타ㅋㅋㅋ
자!! 이렇게 다방면으로 활동하는 뱅크시에 관해 얘기해 봤어!! 얼굴 없는 화가 뱅크시에 대해 다들 어떻게 생각하는지 MBTI랑 반응 알려죠~~!!!

♡ 67   ♡ 7

 INTP 칼챔충
03/13 09:18

나두 영화 봤어!! 인팁인데 티에리 진짜ㅋㅋㅋㅋ 웃기더라 동시에 뱅크시는 엄청 호감됨... 얼굴 없는 화가라는 것도 멋있고, 그래피티나 벽화에 대해서도 관심이 생겼음 도시에 낭만을 불어넣는 도망자들~..같은느낌ㅋㅋㅋ 멋지잖아.. 깨진 유리창 이론이라던가.. 행위 자체에 대한 불법성을 그렇다고 무시할 순 없는 것 같아.. 그것 때문에 골칫거리고, 누구의 비판을 살 수도 있지만, 나는 응원하는 소녀 할게ㅎㅎㅎㅎ

86

INFJ 우딩딩
03/13 10:05

나 infj인데 뱅크시가 돈으로 구매하는 자본 미술시장이 덧없음을 정면으로 비판한 '풍선과 소녀'라는 작품이 인상 깊었어. 왜냐하면 그 작품을 구매한 사람이 구매한 작품이 파쇄된 것을 보고 오히려 작품의 가치가 높아졌다고 좋아했기 때문이야. 그리고 나는 이 상황을 보고 정말 현대미술이란 좋든 나쁘든 눈길이나 관심을 더 끌면 끌수록 가치와 값이 오르는 모순적인 면을 띄고 있다고 생각했어..

그리고 보통 얼굴을 알리고 활동하는 다른 작가들과 달리 얼굴을 드러내지 않고 활발하게 활동하는 뱅크시라는 작가가 나에게는 정말 신선했어..

본인이 추구하는 방향을 자신의 작품 세상에서 그려 넣고 사람들이 당연하게 생각해왔던 것들을 다시금 바꿔 생각해 보라고 생각을 촉구하는 예술을 하는 것이 멋있고 존경스러워! 그리고 한편으로는 사회 문제와 관련된 작품을 그리기 위해서 많은 사회에서 일어나는 상황에 문제의식을 가지고, 그 자신의 생각을 예술로 표현하는 것은 정말 쉽지 않고 힘들 것 같다... 앞으로도 다양한 뱅크시의 예술관을 보고 싶어..!

INFP 이쮸
03/13 07:29

나 infp!
나 저 영화 봤어!! 처음 뱅크시가 나와서 자신의 친구들
소개한다고 해서 '뱅크시의 친구.? 누굴까..'했는데,
마지막까지 보고 좀 웃겼음ㅋㅋㅋ 진짜 조롱 같잖아ㅋㅋㅋ!!!
뱅크시는 거리예술을 하는 작가 중에서도 얼굴을 숨기며 더
비밀리에 작업하는! 그런 시! 크! 릿! 한 인물이라서 그가
작품을 몰래몰래 하는 내내 어떤 생각을 하는지가 궁금해졌어.
난 소심이라서 누가 하라고 해도 절대 못함.. ㅋㅋㅋ 그러다
걸리면 어떡해!! ㅜ
그래서 뱅크시의 작업이 불법이지만.. 감상하는 나의
입장에서는 더 멋있게 느껴지는 것 같아😉

ENFJ 오숀뷰
03/13 07:21

나 enfj인데, 뱅크시는 예술이라는 명목하에 범법행위를
하면서 아무런 문제가 없었고 그의 그래피티가 누군가에겐
골칫거리였을 것임.. 그건 비판받을만함 ㅇㅇ 그럼에도
불구하고 계속해서 권위를 부수는 실험은 필요하다고 생각함!!
사회적으로 봤을 때 불편함이 과해 지게 되면 민폐 정도 밖에
안되지만 그걸 파격적인 예술로 느끼게 하는 동시에 본인이
전하고 싶은 메시지를 분명하게 보여준다는 것이 뱅크시의
매력이자 능력인 것 같음. 예술가와 문제아를 나누는 기준은
대체 뭘까…?

INTP 김씨임
03/13 08:14

나 intp인데
뱅크시..이름은 정말 많이 들어봤는데 뱅크시가 하는
그래피티가 불법이구나ㅇㅁㅇ 갑자기 생각이 드는
건데..뱅크시는 작업을 할 때 진짜 쫄깃하겠다. 작품을 만들 때
편안한 환경 속에서 하는 것이 아니라 어떻게 보면 경찰에게
잡힐 수도 있는 그런 상황에서 작품을 만드는 것이니 오히려
작품을 만드는 그 순간에 엄청난 집중력이 발휘되지 않을까?
나는 그래서 더 뱅크시의 작품이 빛나게 된 것이라고 생각해.

ISFP 쥬킹이
03/13 09:16

나 isfp인데 개인적으로 뱅크시의 파쇄 퍼포먼스 진짜 좋아함!
미술시장의 자본주의를 정면으로 비판한 거자나 난 그게 정말
멋있었어 그리고 신비롭게 정체 불명으로 활동하면서
그래피티 남기고 다니는 것도 난 좋게 봄! 물론 불법이지만..
의도가 있고 그만큼 가치가 있다고 생각해 난 뱅크시가 너무
멋있어서 존경하는 예술가 중 하나임 앞으로 어떤 활동을 할
지 기대되는 예술가야 ㅎㅎ

ISTP 행행
03/13 02:02

Istp인데 길거리에 그래피티가 정말 많은데 그 많은 그래피티 속에서도 자신만의 독특한 그림으로 다른 사람들이 한눈에 알아볼 수 있을 정도면 뱅크시의 그림이 얼마나 뛰어난지 알 수 있는것 같음. 한편으로는 그 재능을 타고난 뱅크시가 정말 부럽다…… 그리고 이 긴 세월동안 정체가 밝혀지지 않은것도 놀랍다. 원래 사람이 유명세를 얻고 엮이는 사람이 많아질수록 정체를 숨기기 어렵잖아,, 나중엔 뱅크시가 자신의 정체를 밝힐지도 궁금해! 만약 밝히지 않는다면 뭔가 아쉬울 것 같다ㅋㅋㅋ

06

이걸 진짜 예술이라고 해야 됨?

시체로 작품 만든 썰 푼다

내 여동생과 바람난 남편에게 복수한 썰

아니 얘들아 너네라면 똥 담긴 4억짜리 통조림 캔 열어볼 거임?

ㄷㄷ 정체불명 화가가 불법으로 작업한다는데?

<u>관객에게 목숨을 맡긴다고……?</u>

고흐가 귀를 자른 이유는…(더 보기)

요즘 AI 진짜 무섭다……

관객에게 목숨을 맡긴다고……?

제목 어그로 미안.. ㅋㅋ
너네랑 꼭 얘기해 보고 싶은 게 있어서…

다들 마리나 아브라모비치 알아?

유고슬라비아 출신 행위예술가인데 40년이 넘게 이 분야에서
활동해서 스스로를 '공연 예술의 할머니'라고 칭할 정도로
유명한 작가인데, 학교에서 아브라모비치에 대해서 배운
이후로 찾아봤는데 사람들마다 이 작가의 행위예술을
생각하는 방식이 다르더라고..

내 글 읽어보고 어떻게 생각하는지 알려주~ ^^

마리나 아브라모비치에 대해서 설명하자면,
마리나 아브라모비치의 대표적인 작품으로는 <예술가와 마주
하라>라는 제목의 736시간 30분 동안 진행된 정적의 무성
작품인데,

다들 이 장면 알지?
저렇게 마리나 아브라모비치와 책상을 앞에 두고 앉아서
서로의 시선을 조우하는 건데 작가와 관객이 함께 감정을
공유하는 상황은 영화 [마리나 아브라모비치와의 조우] 에서
잘 볼 수 있으니까 다들 꼭 한 번씩 보기!.!

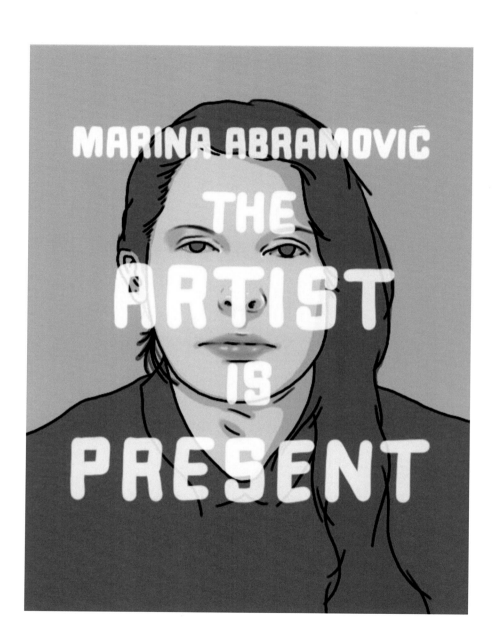

이제부터 잘 들어봐!!

아브라모비치의 작품 중에 '리듬' 시리즈도 유명한데 그중에서,
<리듬 0>에 관해서 여러 의견으로 갈리더라고..

먼저, 이 작품의 의도는 작가와 관객 사이의 한계를 시험하기
위해서 역대급 도전적으로 고안한 작품인데 아브라모비치
자신에게 수동적인 역할을 부여하여 관객들이 6시간 동안
그녀에게 물리적 힘을 행사할 수 있도록 한 거야.

탁자 위에 사람들이 어떤 방식으로든 사용할 수 있는 72개의
물건을 놓고, 자신이 한 행동에 대하여 어떠한 책임도 지지
않는다는 안내와 함께 작품이 시작되었대. 탁자 위에는 장미,
깃털, 꿀, 채찍, 올리브오일, 가위, 메스, 총, 한 발의 총알 등이
있었어.

처음에는 다들 우물쭈물하다가 점차 자신들의 행동에 한계가
없다는 것을 인식하고 작품이 잔혹해졌어. 공연이 끝날
무렵에는 옷은 모두 잘려나가고 몸 곳곳에서 피가 나고
있었대…

그리고 이게 진짜 ㄹㅈㄷ..

한 사람은 그녀에게 장전된 총을 쥐여 주고 목을 겨냥하게
했대. 방아쇠를 스스로 당기라고 종용하는 것처럼..

결국, 주변 사람들에 의해 방아쇠를 당기진 않았지만,,, 난 좀 무섭다..
솔직히 따지고 보면 행위예술을 하는 동안 죽을 수도 있었던 거잖아.. 나라면 절대 목숨을 걸고 할 수는 없을 듯....

다들 어떻게 생각하는지 mbti랑 반응 알려줘.!!

♡ 67 💬 7

INTP 김씨임
07/29 08:14

나 intp인데
아브라모비치의 많은 작품들은 관객이 작품에 참여함으로써 완성이 된다는 점이 매력적인 것 같아. 하지만 작품에 참여하는 관객이 어떤 행동을 하느냐에 따라서 아브라모비치의 건강이 좌우된다는 건 너무 치명적인 단점인 것 같아. 아브라모비치의 작품은 너무 어려운 것 같아 ㅠㅠ 작품성은 매우 뛰어나다고 생각하지만 도덕적으로 봤을 때는 좀 아쉽다고 생각이 들고..이런 게 진정한 양날의 검이지 않을까?

INFJ 우딩딩
07/29 10:05

나 infj인데, '마리나 아브라모비치'는 자신의 삶 모든 부분이 예술이 되는 정말 예술가 그 자체인 것 같아..!
쓰니가 알려준 관객에게 목숨을 맡기는 퍼포먼스 있잖아..
나는 내가 만약 '마리나 아브라모비치'였다면 퍼포먼스 한다고 말해 놓고, 관객이 나를 위협할 것 같으면 바로 뛰쳐나갔을 것 같아. 그만큼 나는 듣기만 해도 그 상황 자체가 무섭고 패닉임..ㄷㄷ 근데 그런 상황에서 평온하게 예술을 하던 '마리나 아브라모비치'가 너무 대단하고 존경스러워..😲
　그리고 [마리나 아브라모비치와의 조우]를 부분적으로 보았는데, 사람들이 마리나를 볼 때 울거나 웃거나 화를 내는 등 감정의 동요가 보이더라고! 처음에는 눈을 마주치기만 하는데 감정이 소용돌이칠 수 있는지 의문이 들었는데, 다시 생각하고 감정 이입해 보니까 관객들은 마리나의 생물학적인 눈알을 본 게 아니라 눈 속 안의 그녀의 다사다난한 일을 겪고 견고해진 그녀의 알맹이를 보고 동요했던 것 같아. 그래서 나도 그녀의 눈에 담긴 예술성을 직접 그녀를 만나 느껴보고 싶었어!

INTP 칼챕충
07/29 09:18

본인 intp임
일단 그냥 너무 멋있고.. 진짜 예술가같다ㅜ 나 같아도 이게 다
살자고 하는 짓이지.. 내 목숨보다 우선시되는 목표를 살면서
만들 수 있을 지 모르겠다ㄷㄷ
근데 난 가학적인 행위를 한 관객들의 심리가 궁금해서 좀
생각해봤음..
관전자가 있는 이상 자기 존엄를 위해서라도 부도덕적이라고
평가받을 만한 짓을 하기 쉽지 않았을텐데 어떻게 그걸
실행한거고.. 그런 사람이 심지어 많았다는걸까.. 싶었는데
누구 한 명이 물꼬를 틀기 시작하니까 다들 분위기에 도취돼서
그랬을 것 같애
그래서 모든 권한이 주어졌을 때의 인간본성을 실험하려던
작품이 인간의 군중심리를 들춰내는 방향으로 변질되지
않았을까!!
무튼 그림을 그리고 작품을 만들고 하는 것에만 한정되는 게
아니라 이런 게 진짜진짜 예술같애.. 존경스럽다

ENFJ 오숀뷰
07/29 07:21

난 enfj인데, 리듬 0는 정말 충격적이었어. 예술을 위해 자신을
온전히 내놓는다는 것이 너무 위험하게 느껴졌고, 실제로 진짜
위험했잖아ㅠㅠ 내가 마리나 본인이었다면, 아니 그냥
지인이었어도 너무 마음 아프고 걱정됐을 거임!! 이
프로젝트를 한다고 만약 지인인 내게 알렸다면 나는 극구
반대했을 거야..ㅜㅜㅜ 본인을 버릴 정도로 예술에 진심인
마리나를 보면 경외심까지 생겨… 행위예술이 끝나고 집으로
돌아간 마리나의 머리카락 일부분이 흰머리로 바뀌어있었다는
이야기도 들었는데.. 공포감과 스트레스가 얼마나 컸으면 짧은
순간에 흰머리가 났을까ㅠㅠ 상상도 안돼..
어쩌면 마리나의 삶 자체가 예술이지 않을까?
앞으로 나는 어떤 예술가로서 성장해야 할지 고민하게 됐고,
우리 사회에 대한 다양한 생각을 하게 됐어..

INTJ 아콰맨
07/29 03:13

나 intj인데
아브라 모비치의 행위 예술은 진짜 모든 걸 압도하는 것 같아.
특히 관객과 작가의 조우는 내 생각과 다른 결과가 많이
나왔어 ..! 그 짧은 시간동안 잠깐 눈을 맞추었을 뿐인데
어떻게 슬픔,기쁨,분노 등 다양한 감정을 느낄 수 있는 걸까..?
그리고 리듬 0 퍼포먼스는 보는 사람을 불안하게 하는 것 같아
ㅠㅠ
정말 다양한 도구들과 함께 본인 자체가 작품의 과정이 되는
퍼포먼스였어!
그치만 굉장히 위험하기도 했지 ..몸에 상처가 났고 총에 맞을
수도 있었으니까..ㅠㅠ 이런 걸 보면 예술이 어디까지
허용되어야 하는지에 대한 고찰을 하게 되는 것 같아

INTP 행행
07/29 02:02

intp인데 나는 <리듬 0>을 보면서 아브라모비치의 생명이
정말로 위협받을까 봐 걱정되었어. 그리고 한편으론 자신이
다치는 결과를 어느정도 생각해 봤을 텐데 이런 작품을 하는
것에 대해 너무 무모하지 않나?라는 생각을 했어.
나 같으면 어떤 일이 벌어질지 모르니까 시고하지 못했을 것
같거든... 그치만 목숨을 내놓으면서도 자신의 예술세계를
다른 사람들에게 알리는 건 정말 멋진 것 같아. 그리고 작품
중에 실제로 처음엔 아브라 모비치에게 장미를 쥐어준다거나
깃털로 간지럽히는 등 모비치에게 별로 해가 가지 않는
긍정적인 행동들을 사람들이 보였는데 시간이 지날수록
상처를 가하거나 생명을 위협하는 행동을 하는 것울 보고
인간의 이중성에 대한 깨달음을 가질 수 있었던 것 같아.

ISFP 쥬깅이
07/29 09:16

나 isfp인데 쓰니가 쓴 글 보고 흥미로워서 너튜브에 더
찾아봤거든.. 관객이 일어날 때까지 서로 바라보기만 하는
<예술가와 마주 하라>에서는 거의 20년 동안 만나지 못했던
전남친이 나타났대 사귀었을 땐 예술 파트너였다고 하더라구..
그런 전남친 보고 동공이 흔들리더니 곧 눈물도 흘리고 서로
손도 잡더라ㅠㅠ 손잡는 건 규칙에 어긋나는 행위였지만 말야..
그때 아브라모비치의 눈이 엄청 슬픔에 가득 차 보였어 나도
모르게 감정이입 돼서 눈물 날 뻔.. 전남친이 내 예술작품에
서프라이즈로 참여하다니… 나 같아도 알 수 없는 감정이
북받쳐 올라올 것 같애 엉엉… 나 좀 씁쓰피같았나
실제로 나도 실기실 친구들과 이 행위예술을 해봤었어 우린
1분간 눈 마주치는 것도 어색하고 힘들었는데 아브라모비치는
어케 736시간을 버틴 건지.. 난.. 정말 이런 게 예술이구나
싶었어ㅠㅠ 므찌다.. 예술에 진심인 게 느껴져서 존경스러워!
앞으로 미래의 나는 어떤 예술가가 될지 고민 반 걱정
반이기도 해

07

이걸 진짜 예술이라고 해야 됨?

시체로 작품 만든 썰 푼다

내 여동생과 바람난 남편에게 복수한 썰

아니 얘들아 너네라면 똥 담긴 4억짜리 통조림 캔 열어볼 거임?

ㄷㄷ 정체불명 화가가 불법으로 작업한다는데?

관객에게 목숨을 맡긴다고……?

고흐가 귀를 자른 이유는…(더 보기)

요즘 AI 진짜 무섭다……

익명
08/14 02:06

고흐가 귀를 자른 이유는...(더 보기)

고흐가 귀를 자른 이유 나만 궁금함??
궁금해할 사람이 많을 것 같아서 그 이유에 대해 알아봤음ㅇㅇ
사실 고흐가 귀를 자른 이유에 대해 여러 가지 가설이
존재해서, 정확한 이유가 밝혀진 것은 아니야..!
가설은 가설로만 받아들이자고^-^

가장 많이 알려져 있는 가설은, 함께 작품 활동을 했던 고갱과의 불화로 인한 분노의 표출로 고흐가 귀를 잘랐다는 가설이야. 고흐는 자연 그대로의 모습을 그려내는 것을 좋아했지만 고갱은 원래 모습에 창의적 생각을 넣어 그려내는 것을 좋아했대. 고흐는 고갱이 그린 '해바라기를 그리는 반 고흐'라는 작품 속 자신의 모습을 보고 고갱이 자신을 조롱했다고 생각했고 이에 분노를 한 것이라 볼 수 있지 ㄷㄷ

또 다른 가설은, 고흐가 메니에르병을 앓아서 저지른 행동이라는 것이 있어. 메니에르병은 발작성으로 나타나는 어지럼증과 청력 저하, 이 충만감 등의 증상이 동시에 발현되는 질병이야. 귀를 자른 행동이 발작성이었다고 보는 가설이지.

마지막으로, 고흐가 '베를 라티에'라는 10대 여성에게 자신이 자른 귀를 전했다는 가설이 있어.(속닥속닥)

고흐가 귀를 자른 이후의 삶부터 죽음까지.. 참 힘들었겠다고 생각이 들더라. 고흐는 귀를 자른 이후에 정신병원에 입원했었대.. 그 후 고흐는 입원과 퇴원을 반복하면서 발작이 없을 땐 계속 그림을 그렸어.
그러다 고흐는 1890년 봄에 37살의 나이로 자살을 했지.

너네가 고흐라면 어떻게 했을 것 같아?
나였으면...(더보기)
mbti랑 반응 알려줘^~^

♡ 67 ◯ 7

INFP 이쮸
08/14 07:29

나 잉뿌삐(INFP)인데 너 글 읽고 고흐에 대해서 생각해 보니까
나도 모르게 눈물 또르륵.ㅠ….(그 정도는 아님ㅋ)
3가지 가설 모두 고흐가 불쌍한 것 같다… .. . 평소 고흐의
그림을 보면서 그의 우울한 감정이 잘 드러난다고 생각했는데
생각했던 것보다 더 우울한 감정을 가지고 있었네..
안타깝당ㅜ

INTJ 아콰맨
08/14 03:13

나 intj인데
고흐가 정신적으로 굉장히 힘든 시기를 겪었다는 게
안쓰럽지만 한편으로는 그런 시기에 그린 작품들이 걸작이 된
걸 보면 역시 창의적인 아이디어는 고통으로부터 가장 잘
나오는 것 같아..ㅎㅎ
근데 고흐가 사실은 귓볼을 (조금) 잘랐던 거 알고 있어??
근데 본인의 자화상에는 귀 전체에 붕대를 둘둘 감고 있는 걸
볼 수 있을 거야!
이거 보고 솔직히 좀 엄살이 심한 것 같다고 생각했어…ㅋㅋㅋ
그리고 잘린 귀 선물은 너무….싫다

INFJ 우딩딩
08/14 10:05

나 Infj인데 고갱 때문에 귀를 잘랐다면 고흐는 약간
분노조절장애인 것 같아.. 나는 솔직히 말해서 '분노를 말로 잘
표현해서 문제를 해결하지 않고 굳이 귀를 자르는 극단적인
행동을 보여줘야 했을까?'라는 의문이 들어. 이런 생각과
동시에 얼마나 힘들고 자신의 의견을 들어주는 사람이
없었으면 극단적 행위를 통해 자신의 감정을 표현하려고
했을까 싶어.. ㅠ
　두 번째로 고흐가 메니에르병을 앓아서 귀를 잘랐다면 정말
삶이 고통스러웠을 것 같아서 안타까워..ㅠㅠ
메니에르병이라는 질병을 앓는 것도 힘들었을 텐데
발작성으로 인해 귀까지 자르고 후에는 물리적인 고통까지
얻어야 했으니까.. ㅠ
　세 번째로 고흐가 '베를 라티에'라는 10대 여성에게 귀를
전했다면, 난 고흐의 아픔보다 고흐의 변태성에 주안점을
두어야 한다고 생각해. 그 잘린 귀를 받는 10대 여자애는
어떻게 느꼈겠어? 나라면 진짜 평생 트라우마가 될 것 같아.
아, 솔직히 10대 여자에게 잘린 귀를 선물한다? 이건 바로
철컹철컹, 즉 감방 들어가서 나오면 안 되는 범죄자지;;

INTP 칼챔충
08/14 09:18

난 인팁인데 확실히 정신질환의 영향이 있는 것 같아 고흐가
아팠다는걸 몰랐을 땐 그냥 이해도 안되고 우스웠는데 그런
아픔이 있었다니ㅠㅠ 스스로 반성했어

ISTP 행행
08/14 02:02

잇팁인데 첫 번째 가설을 읽고 그림이 궁금해서 찾아봤는데
고흐가 왜 그렇게 반응했는지 잘 이해가 안 가는데? 딱히
조롱하는 그림도 아닌 것 같고, 둘이 친하게 지냈으니 그림에
자신의 생각을 넣어 그린다는 걸 알고 있었을 텐데….. 첫 번째
가설은 좀 이해가 안 된다….

ENFJ 오숀뷰
08/14 07:21

나 enfj인데, 고흐는 압생트라는 술을 좋아했는데 압생트의
투존이라는 성분이 정신착란과 간질발작을 일으킨대!! 고흐
그림에 노란색이 많은 이유도 압생트에 산토닌이 있는데 그걸
과다 복용하면 황시증이 생김. 모든 게 노랗게 보이니까 노란
그림이 많은 거지 ㄷㄷ
그 와중에 고흐는 예술을 위해 중독된 걸 알면서도 압생트를
계속 마셨대.. 고흐는 이런 말도 했어 "노란 높은 음에
도달하기 위해서 나 스스로를 좀 속일 필요가 있었다." 고흐는
자른 귀를 여인에게 아무렇지도 않게 갖다 줄 만큼 미쳤지만..
예술에 대해선 진심이었어.. 미친놈이지만.. 본인도 본인을
어찌할지 몰라 고통스러워 했다는 게 안쓰럽긴 함 ㅠㅠ

ISFP 쥬깅이
08/14 09:16

나 잇프피인데 고흐.. 정신병 앓고 귀자른 건 이미 유명한
사실이라 알고있었는데.. 그 자른 귀를 소녀에게 선물한 건
처음 안 사실이라 충격적임.. 우딩딩 말대로 고흐의 잘린 귀를
받은 그 소녀는 얼마나 당황스러웠을까;; 그리고 쓰니 덕분에
고갱과 고흐의 이야기에 대해 더 찾아봤어 고갱이 1901년에
해바라기와 바다풍경이라는 정물화를 그렸는데 거기엔
친구였던 빈센트 반 고흐에 대한 미안함과 후회가 담겨있다고
하더라.. 나도 모르게 약간 찌잉.. 했어 ㅠㅠ

08

이걸 진짜 예술이라고 해야 됨?

시체로 작품 만든 썰 푼다

내 여동생과 바람난 남편에게 복수한 썰

아니 얘들아 너네라면 똥 담긴 4억짜리 통조림
캔 열어볼 거임?

ㄷㄷ 정체불명 화가가 불법으로 작업한다는데?

관객에게 목숨을 맡긴다고……?

고흐가 귀를 자른 이유는…(더 보기)

요즘 AI 진짜 무섭다……

익명
09/18 02:06

요즘 AI 진짜 무섭다......

나 원랜 손가락 여섯개 그리고 머리에 팔 붙어있고 이런
수준인 줄로만 알아서 신경 안썼단말야?
근데 요즘 그리는 거 보면 완벽해지는 건 당연한 거고 그게
얼마 남지도 않은 것 같더라..
키워드 설정하면 내가 원하는 대로 그려주는 것 뿐만이 아니라,
사진 몇 장으로 합성해내는 것도 할 수 있던데.. 너무
자연스럽고 육안으로 구분하기가 힘듦

또 최근에는 그림 그리는 사람이 엄청 모여 있는, 트위터같은
커뮤니티에서도 넷상에 올라온 그림을 ai 개발에 강제 사용할
수 있도록 정책을 바꾸고 있대.. 원화가들 한테는 인지도도
쌓을 수 있고 일도 따낼 수 있는 엄청 중요한 플랫폼인데
말이야. 니 그림으로 니 밥줄 뺏을 방법 발전시킬 거니깐
싫으면 지금 당장 밥줄 끊으셈. 이런 뜻으로 밖엔 해석이
안된다 난ㅋㅋ

지금과 비슷한 위기가 전에도 한 번 있었잖아. 그게 뭐냐면....
사진기의 발명이야. 얘 때문에 재현의 수단으로서 그림을
그리던 상업 화가들은 한 순간에 밥그릇을 뺏겼어. 이 때
우리의 조상님들은 어떻게 살아남았을까??

재현의 수단인 기존 회화의 의미를 바꾸어 버린 사람이 폴
세잔이야. 사진이 할 수 없는 것을 화폭에
담아내는, '표현' 이란 개념을 도입한 거.. 사진기 때문에
미술이 몰락했느냐 하면 아니잖아. 오히려 사진기 덕분에 한
단계 높은 차원으로 미술은 진화했지.

위 작품은 폴 세잔의 <석고 큐피드가 있는 정물> 이야. 기존의
원근법을 타파하고 도입한 다시점이 잘 드러나고 있어.

그래서 그 과도기에 우리가 있다고 생각해... 하필이면 왜
나냐고 나도 억울하긴 하지만ㅋㅋㅋ 그때도 전환을 이루어낸
사람들, 예를 들면 피카소나 뭉크같은 사람들이 지금
유명하잖아. 우리도 그렇게 될 수 있는 기회를 얻은 건가?
싶기도 해. 그니까 발전과 진화를 우린 지금 기술로부터
요구받고 있는 거지. 원래 누가 들들 볶아야 실력이 늘고
그러니깐ㅋㅋ 고마워해야 되는 걸지도..

근데 이런 문제가 우리 직업군에서만 일어나고 있는 건 아님.
당장 집 밖에만 나가도 계산원을 키오스크가 대신하고 있고..
챗 gpt에 코드 짜달라고 하면 개발자들보다도 정확하게
내놓는대. 몇 초만에. 그래 우리야, 감성이라는 대체 불가능한
무기가 있잖아. 근데 이런 건 별 수가 없어. 얘네도
산업혁명이라는 전례가 많이 있긴 해. 근데 지금까진 노동력의
대체였지 대신 배우고 대신 생각해주는 ai라는 놈은 너무
유별나지 않냐?

효율과 이익을 두고 보면 ai를 들이는 게 맞아. 우리가
고용주의 입장에서 생각한다면 뭐 당연한 거지.
근데 ai 때문에 밀려난 직업군의 사람들은? 단순 사무 뿐만이
아니라 전문직 조차도 대체당하고 있잖아. 평생을 그 분야에
대해 공부해온 사람들이, 컴퓨터의 데이터 쪼가리한테 가치를
상실당하고 있어. 뭔가 발전한다는 건 그 결과가 전보다
나아져야 된다는 거잖아. 그런데 지금 이런 상황은, 기술
발전의 길이 인류의 발전이라고 말할 수 있는 거야?

나는 아직 잘 모르겠어. 너넨 어떻게 생각하는지 댓글로
알려주라.. MBTI도!

♡ 67 ♡ 7

INFP 이쮸
09/18 07:29

나 INFP!! 얼마 전에 내가 좋아하는 너튜버 침*맨 영상 보고 AI 그림에 대해서 많은 관심이 생겼었는데 점점 더 발전하고 있다니⋯ 솔직히 미술인에게 너무 가혹하다..ㅋㅋㅋㅋ 나는 그림을 그리는 직업이 마지막까지 남아있는 최후의 직업일 줄 알았는데.. 엉엉엉
근데 인공지능이 인간의 독창성으로 이루어지는 작업을 하는 것을 이해해 주어야 할까..? 굳이..? 나도 글쓴이가 말한 것처럼 잘 모르겠다⋯.ㅜ

INFJ 우딩딩
09/18 10:05

나 infj인데 솔직히 AI에 관해 별생각 없었거든? 그런데 글쓴이 글 읽으니까 많이 불안해짐..

과거 카메라로 인해 미술이라는 분야가 발전한 것은 결과로만 놓고 봤을 때 긍정적인 일이라고 생각해. 그런데 사람보다 다양한 이미지들을 빠른 시간 안에 결합시켜 하나의 결과물을 만들어 내는 AI는 카메라와 다른 문제인 것 같아.

내가 전에 학교에서 수업받을 때, 키워드 몇 개만 적으면 그림을 그려주는 AI 프로그램을 알게 된 적이 있어. 사실 그 당시에는 그저 신기하고 재미있게만 느꼈는데… 지금 생각해 보니 이제 우리는 사람뿐만 아니라 그런 AI와도 경쟁을 해야 하는 처지에 놓인 거잖아.. 지금까지 예술인의 길을 걸어온 나로서는 좀 허무하다! ㅠ

그래도.. AI로 인해 허무감도 느끼지만! 나 같은 경우에는 AI조차도 따라 할 수 없는 나만의 예술성을 발전시켜 볼 거야! 그리고 나는 하나의 작품을 만들기 위해 머리를 짜내면서 고뇌하고 생각하는 과정조차도 하나의 작품이라고 생각하기 때문에 '예술'이라는 분야 자체를 AI가 점령할 수 없다고 믿어. 결국 AI를 추구하던 사람들도 예술이란 작가라는 한 명의 사람의 생각을 서로 공유하며 상호 소통을 해야 함을 깨닫고 인간의 예술을 추구하게 될 거야.

INTJ 아콰맨
09/18 03:13

ai는 정말 양날의 검같아!!
분명 우리는 ai로부터 얻는 편의성이 정말 많아. 그리고
우리도 모르게 ai에 매우 익숙해져있는 상태 일거야 ..ㅜㅜ
그렇지만 ai로 인해 대체될 수 있는게 너무너무 많은게
문제인것 같아 ㅜㅜ
사실, 딱 적당한 선까지 ai를 도입하여 인간이 하기에
번거로운 일을 도와주고 시간을 줄여주면 정말 좋겠지만
인간이라는게 계속해서 발전해나가고 새로운걸 만들어 낼려고
하잖아 ..
전문가에 따르면 ai가 이미 추론할 수 있는 능력을
가졌다고해…ㄷㄷ이제 진짜 인간의 요소를 갖추게 된거야..
그래서 6개월간 ai 연구를 중단하자는 의견이 나오기도 했지
ㅜㅜㅜ
너무 무섭지 않아..?

ENFJ 오손뷰
09/18 07:21

난 enfj인데 ai를 좋은 목적과 방향으로 활용한다면 우리는 더 많은 예술을 할 수 있다고 생각해.
미술전공자로서 영원히 대체되지 않을 것 같았던 창의적인 분야인 예술이 대체된다고 생각하니 두렵기도 하지만, 더욱더 작가 개인의 철학과 이야기들이 중요해지고 사람들의 표현이 더 자유로워질 것 같아.

ai 기술을 활용한 좋은 사례도 있어!
발달장애인들(지적 자폐성 장애 청소년들로 구성된 경기도 ai 창작단)이 ai를 활용해 미술 전시회를 개최한 적이 있어. 총 30점의 작품이 걸렸는데 좋은 반응을 얻었어.

물론 4차 산업시대에 우리가 가져야 할 시민의식에 대한 교육의 준비와 연구가 빠른 기술의 발전에 비해 너무너무 부족하고.. 일단 사람들의 일자리가 사라지고 있는 것은 맞으니까.
ai가 특권층에게 집중된다면 사회에서 도태될 수도 있어..
법과 제도가 생기고 사람들의 인식이 바뀐다면 해결되겠지만 아주 오래 걸리겠지..ㅠㅠ

ai 기술 발전은 좋은 점도 좋지 않은 점도 많지. 그래서 모든 관점에서 열어두고 생각해야 한다고 생각해!

INTP 김씨임
09/18 08:14

나 intp인데
현재 상황이 지속된다면 ai가 그린 작품은 비영리적 목적으로
사용되어야 한다고 생각해. 그게 아니라면 회화 작품과 사진
작품이 분리되어 비평이 되는 것처럼 ai가 그린 작품도 또다른
장르의 작품으로 분리되어 비평되어야 한다고 생각이 들어.
쓰니의 말처럼 과도기인 이 상황에서 나는 우리들의 판단
하나하나가 미래를 바꾼다고 생각하고 우리는 책임감을
가지고 앞으로를 살아가야 한다고 생각해

ISTP 행행
09/18 02:02

나 istp인데 어차피 ai가 그림을 그리는 과정이 사람이 그렸던
기존의 많은 그림들을 참고해서 짜깁기하는 거라고 밖엔 생각
못 하겠더라. 실제로 그래서 지금도 저작권 논란이 있다고
들음ㅇㅇ 키오스크처럼 인간의 편리를 위한 기술 발전은 있는
게 맞지만 창작물은 지금도 많은 사람들이 만들어내고 있는
와중에 ai의 예술작품 존재는 작품 작업을 하고 있는
사람들에게 회의감 주는 것 같음;;

ISFP 쥬킹이
09/18 09:16

나 잇프핀데 AI..
학교 수업 시간에 챗 gpt에 대해 배운 적이 있어. 전혀 관련
없는 키워드 몇 개를 쳤더니 몇 초 후에 금방 조합한 이미지가
생성되더라고. 신기방기 그 자체였어! 심지어 퀄리티도 높았고
사진처럼 자연스러웠어. 이런 AI를 이용한 예술은 비전공자인
사람들도 예술에 쉽게 접근할 수 있게 해주는 긍정적인 기능을
한다고 생각했었지..
근데 AI 아트에 필요한 수많은 데이터들에 우리 그림들이
무분별하게 사용된다고 생각하면 좀 화난다. 우리 저작권은..
우리 생계는.. 어떡하고
너무 괘씸하단 생각이 들어

페인티안의
말...

안녕하세요 저희는 덕원예술고등학교에
재학중인 페인티안(서양화과 학생들) 입니다!
아직 꼬마 예술가인 저희가 이렇게 책 출판을
하게 되다니 정말 영광스럽고 기쁩니다 ㅠㅠ..

저희는 요즘 MZ들 사이에서 유행하는 MBTI라는
소재와 미술이야기를 결합하여 미술에 대해
알고는 싶지만 어려워서 쉽사리 다가가지
못하시는 분들이 최대한 쉽게 접근하실 수
있도록 흥미롭게 글을 써보았습니다!

제목만 봐도 클릭하고 싶은 마음이 들지 않나요?
다들 썰 보고 반응 남겨주시길...

읽어 주셔서 감사합니다!

김서인 (INTP)
inseokimkimseoin@naver.com

김지유 (ISFP)
jykim060916@naver.com

안수빈 (INTP)
ahnsubin2006@naver.com

오상은 (ENFJ)
osangeun721@gmail.com

윤수인 (INTJ)
suin8578@gmail.com

이우진 (INFJ)
iujin4564@gmail.com

이주연 (INFP)
2joo2joo@naver.com

이해인 (ISTP)
haeinss21@gmail.com